IDRISS
PETIT APPRENTI

Robert G...

Illu...
Laure...

MAGNARD

QUE D'HISTOIRES !
CM1

Certifié PEFC

Ce produit est issu de forêts gérées durablement et de sources contrôlées.

10-31-3068   pefc-france.org

« Que d'histoires ! CM1 »
animée par Françoise Guillaumond

Conception graphique :
Delphine d'Inguimbert et Valérie Goussot

© Éditions Magnard, 2005
5, allée de la 2ᵉ DB - 75015 Paris
www.magnard.fr

Chapitre 1

Idriss, le nez écrasé sur la vitre de l'atelier, regarde le vieil homme peindre des lettres sur une pancarte posée sur un chevalet. Collées par le bout de leur soie, alignées sur un pan de mur, des brosses, des grosses, des fines, des grandes, des petites, voisinent avec des pots de peinture sur une grande table en bois, maculée d'une multitude de taches colorées.

Idriss est émerveillé. Les lettres semblent couler du pinceau qui bouge dans la main du peintre. Un A, trois barres, deux grandes et une petite en quelques coups de pinceau, sans hésitation : un, deux, trois. Puis deux T, un E, un N, encore un T, un I, un O, un N. ATTENTION, rouge éclatant sur le fond jaune du panneau, si vite !

Les mains d'Idriss sont si malhabiles quand à l'école il doit écrire des mots. Les lettres, il sait jouer avec. Il aligne des colonnes de A qu'il rassemble en bataillons carrés, rectangulaires, triangulaires, et parfois en rond. Il crée des régiments de E, des armées de O, mais aussi des plus petites unités, des escouades, des patrouilles, des groupes d'éclaireurs. Il mélange, rature, les met au repos. Il utilise des couleurs différentes pour les troupes qui, en se mélangeant au gré des batailles, créent des harmonies nouvelles.

Ce vieux, derrière la vitrine, est peintre en lettres-décorateur. On l'appelle Brigadier et pas un habitant de la cité ou du quartier ne sait pourquoi. Idriss aime ce nom qu'il peut associer à ses jeux. La facilité avec laquelle l'artisan trace les mots en fait un chef de guerre redoutable dans l'imaginaire d'Idriss. Il le voit mener un régiment de E écarlates à l'attaque d'une armée de O verts de peur et qui se sauvent lamentablement face à l'assaut irrésistible.

Il y a des soirs où le nez d'Idriss ne s'aplatit pas sur la vitrine du Brigadier qui, habitué à cette présence discrète, ressent l'absence de l'enfant et s'irrite de cette faiblesse. Sa vie, depuis longtemps, s'est accommodée de la solitude. Il croyait qu'elle serait sa compagne pour le morceau de route qu'il lui reste à parcourir. Mais ce bout de nez sur la vitre de l'atelier, le soir, l'après-midi d'un mercredi, quelquefois le samedi ou le dimanche, dérange son isolement. Il attend, guette, souhaite la venue du gamin qui lui fait perdre les automatismes du travail. La joie de la création retrouvée assouplit alors ses doigts fatigués de peintre.

Les yeux du garçon, son attention patiente, lui rappellent d'autres attentes, d'autres regards enfantins dans les rues de Madrid, de Barcelone, dans les bourgades et les villages d'Espagne ravagés par la guerre civile. À quinze ans, il avait triché sur son âge, pour s'engager dans les brigades internationales

Et c'est depuis son retour de ce conflit qu'on l'appelle Brigadier et qu'il travaille dans cet atelier.

Ce soir, Idriss découvre en sortant de l'école une bande de « taggeurs » qui bombent joyeusement les portes des garages de la cité. Le quartier est désert. Un festival de couleurs et de signes explose sur la grisaille des tôles. Pas de pinceaux, pas de pots de peinture mais des bombes qui soufflent des jets colorés, fins ou larges, des ombres et des lumières, à une vitesse fantastique. Les « taggeurs », masqués à la façon des cosmonautes, portent des lunettes et des gants pour se protéger du brouillard de pigments.

Idriss aimerait leur poser des questions. Soudain, une équipe de gros bras attaque les « taggeurs ». Et c'est la bagarre. Idriss, tétanisé de peur, distingue dans un brouillard de larmes une brute qui s'approche en rigolant.

Un choc, un éclair dans sa tête, et le noir.

Chapitre 2

– **R**éveille-toi !

L'enfant ouvre les yeux et rencontre le regard anxieux du Brigadier. Allongé sur les sacs de supermarché qui tapissent l'endroit où il est tombé, Idriss tente de se lever. Un atroce mal de tête, la nausée, des images floues qui tournent, qui tournent...

Le Brigadier le prend dans ses bras – un enfant ça ne pèse pas un poids considérable – et il se dirige vers son atelier.

Au fond, une porte ouvre sur une grande pièce cuisine-salle à manger et, derrière un paravent, un lit de fer étroit, fait au carré dans le style militaire. Le Brigadier y allonge le petit blessé.

D'une armoire, le vieil homme retire une serviette qu'il mouille d'eau froide pour la poser sur le front de l'enfant en attendant le médecin...

« Pas de traumatisme, un choc violent sans séquelles, conclut le praticien à l'issue d'un examen sérieux. Quelques jours de repos, et après, amenez-le à la consultation. »

– Comment t'appelles-tu gamin ?

– Idriss. Je suis chez toi Brigadier ?

– Tu es chez moi.

– Tu me racontes la bagarre ?

– Je revenais de chez un client, j'ai vu un attroupement, des gens qui criaient, qui gesti-culaient, des jeunes, une bagarre. J'ai essayé de calmer les plus excités, des costauds qui tapaient sur des « taggeurs ». Ils ont filé quand ils m'ont reconnu. Ils m'ont menacé d'un : « T'es déjà mort ! » –mes cheveux blancs, mon âge–, qui m'a rappelé une époque que je croyais disparue. Puis je t'ai transporté jusqu'ici...

– Et les bombeurs ?

– Ça va, pas de gros bobos, mais pour leur matériel il faudra lancer une souscription...

– Tu dis ça pour rire ?

– Non, je serai souscripteur, et on remplacera ce que les gros bras ont cassé.

– Pourquoi tu fais ça ?

– Je n'aime pas les casseurs, ce sont des lâches qui brutalisent les plus faibles. J'aime les bombeurs qui font rigoler le béton de la cité.

– T'as pas peur ?

– Si, mais il faut se donner le courage de ne pas le montrer.

– C'est difficile quand les genoux tremblent et qu'on ne peut pas s'empêcher de pleurer.

– On apprend, je t'assure. Il faut du temps, le vouloir très fort !

– C'est ton nom Brigadier ?

– C'est celui que les gens d'ici m'ont donné.

– Pourquoi ?

– Quand j'étais jeune, pas beaucoup plus âgé que toi, j'ai fait la guerre dans un pays étranger, comme combattant des brigades internationales. À mon retour, j'ai hérité de ce nom.

– Tu as fait la guerre, tué des gens comme dans les films ?

– Je crois avoir fait ça, oui.

– Tu as l'air triste.

– Je le suis. Ces souvenirs ne sont pas très drôles,

et la mort d'un ennemi est aussi terrible que celle d'un ami. C'est une vie effacée, une famille qui pleure. Tes parents habitent dans la cité ?

– Oui, dans le bloc C, au cinquième étage.

– Je te ramène chez toi ?

– Non Brigadier, je veux rentrer seul. Ma mère serait gênée de parler à un inconnu.

– Ton père est absent ?

– Papa est au pays. On attend son retour depuis presque une année, sans nouvelles de lui.

– Eh bien, au revoir Idriss, et ne reste plus devant la vitre de l'atelier à me regarder travailler ; entre quand tu en as envie.

– Merci brigadier.

– Idriss ?

– Oui maman, c'est moi.

– Qu'est-ce que tu t'es fait à la tête ?

– Je suis tombé en jouant au foot.

– Pourquoi le foot ? Il y a des sports moins violents, la course à pied, la natation, la gym. Tous les garçons de la cité jouent au foot. Qui vous oblige à le faire ?

– Personne maman, mais si tu fais un autre sport tu es traité de fille.

– Et alors, c'est mal d'être une fille ?

– Non, pas pour une fille, mais pour un garçon, oui.

– Va te laver, mets ton pyjama et à table !

Chapitre 3

– **B**onjour Brigadier !

– Salut Idriss, content que tu sois là. Tu veux un pinceau et des couleurs ?

– … Oui.

– Tiens, prends celui-ci, un numéro 12, et ce pot de noir. Tu vas essayer de tracer des lignes horizontales, aussi longues que la hampe de ton outil.

– La hampe ?

– Oui, c'est le nom du manche d'un pinceau. Dans tous les métiers il y a des termes, des expressions, des noms que l'on n'emploie que dans ces professions. Un pinceau est un instrument de travail, un outil.

– Tu crois que je vais pouvoir ?

– Sûrement. Tu ne vas pas exécuter des lignes droites au premier coup de pinceau, ni au deuxième, ni au troisième mais au centième, au millième si tu as de la chance. Il faut aimer ce que tu fais et un jour, sans que tu t'y attendes, tu traceras une ligne parfaite.

– À l'école, je n'arrive pas à écrire des mots avec les lettres. Pourtant, les lettres je les connais bien et je m'amuse avec. Tu pourras m'apprendre à former des mots ?

– D'abord les lettres, ensuite les mots. Dans ce métier, la lettre est plus importante que le mot. Son tracé exige une connaissance parfaite du geste et cela demande beaucoup de temps. Il faut aussi connaître l'histoire de la lettre et le nom de sa famille : égyptienne, antique, romaine, elzévir...

Rassuré et impatient, Idriss écoute attentivement le discours du Brigadier qui trempe son pinceau dans le pot de noir, égoutte l'excédent de couleur et trace une ligne droite d'un seul geste lent et sûr ; puis le Brigadier tend l'outil à Idriss pour son premier essai.

Idriss et le Brigadier ont vite oublié les ratages des premiers jours d'apprentissage.

Après les droites horizontales, ce sont les droites verticales qu'il a fallu faire obéir, puis les courbes, les ronds, les ovales, les pleins, les déliés, les chiffres et, enfin, les lettres.

Les grandes vacances vont bientôt fermer les portes de l'école et Idriss attend ce jour, impatient de consacrer son temps à l'apprentissage dans l'atelier du Brigadier.

Former un enfant exige calme, persévérance, indulgence et beaucoup d'attention pour le comprendre. Le vieux peintre s'embrouille un peu. Idriss ne doute pas de la parole de son aîné, il ne la discute pas. Il a onze ans et une énorme envie de connaître et de découvrir des territoires inconnus et seul quelqu'un de plus âgé peut l'aider à réaliser ce désir.

– Idriss, prêt pour deux mois de travail à l'atelier ?

– Oui Brigadier, prêt !

Il fait chaud dans le local et dehors les copains jouent au foot. L'animateur du quartier est passé hier pour demander au gamin s'il voulait participer aux tournois organisés chaque été dans la cité. Le refus d'Idriss l'a désorienté et il a regardé le Brigadier d'un air étonné. Un jeune qui laisse tomber le jeu pour travailler... L'assistante sociale est venue quelques jours plus tard. Idriss n'a pas participé à la discussion entre elle et le vieil homme, mais quand elle est partie, ils se sont serré gentiment la main en fixant un prochain rendez-vous.

– Ça va Brigadier ? Je peux rester ?

– Pas de problème fiston, tant que tu es volontaire et que tes parents ne s'opposent pas à ta présence ici. Cette dame pense que c'est une bonne chose pour toi d'apprendre un métier, malgré ton âge. Elle repassera de temps à autre pour s'assurer que tu es toujours d'accord pour continuer. Et toi Idriss, ça va ? Tu es bien à l'atelier ? Je sais que c'est difficile quand les lettres ne veulent pas se laisser peindre ou que tu taches un panneau par mégarde, mais tu es un bon apprenti.

– C'est vrai ?

– J'essaye toujours de dire ce que je pense,

c'est bête de mentir.

La réponse touche l'enfant. Le mensonge lui a souvent permis d'échapper aux punitions. Jusqu'au jour de la bagarre où les «taggeurs» et lui se sont fait écrabouiller par des méchants qui sont dans tous les mauvais coups de la cité. Vols de voitures, d'autoradios, de mobylettes, trafics de drogues. Ils contrôlent tout. Tu ne peux pas remuer une oreille sans leur permission. Les «taggeurs» ont été corrigés pour avoir oublié la règle.

– Brigadier, je t'ai menti.

– Tu sais bonhomme, tu ne dois pas prendre trop sérieusement ce que j'ai dit au sujet du mensonge. J'essaye d'exprimer ma pensée mais il peut arriver que ce soit difficile, impossible de ne pas mentir. On a tous des moments de faiblesse, de peur... et parfois la vérité peut faire plus de mal que le mensonge.

– La bagarre, quand tu m'as ramassé et ramené dans l'atelier, c'était à cause de la drogue. J'en vendais pour cette bande. Presque tous les enfants de la cité le font. Ils ne nous laissent pas le choix : soit on accepte, soit on se fait tabasser. J'ai décidé d'arrêter pour maman. Elle a tellement de problèmes depuis que papa est absent. Je ne veux pas en rajouter. Si tu veux que je parte, dis-le, tu as le droit. Je t'ai menti et ce que ces types ont dit, quand tu es intervenu dans la bagarre : « Toi, t'es déjà mort », ce ne sont pas que des paroles. C'est une menace. Je ne veux pas qu'ils te fassent du mal et, si je reste ici, c'est sûr qu'ils vont venir tout casser en pensant que c'est de ta faute si je ne travaille plus pour eux.

Le Brigadier croyait connaître la vie de la cité, mais dealer à onze ans, c'est dans les polars américains, les banlieues des mégapoles de l'oncle Sam !…

Il n'a pas le choix : l'enfant doit rester et continuer son apprentissage. Ce ne sont pas les petits durs de la cité qui vont les arrêter.

– Tu restes avec moi Idriss. Je n'ai pas envie d'affronter ces loubards mais s'ils veulent la bagarre, on assurera. Ils ne sont courageux qu'à plusieurs et contre des plus petits qu'eux.

L'enfant semble croire aux arguments et à l'assurance du Brigadier. Lorsqu'ils se disent au revoir, une fois la journée de travail achevée, le vieil homme se réjouit de son air calme.

Chapitre 4

Neuf heures, dix, onze, l'apprenti n'arrive pas. À dix-huit heures, le Brigadier, inquiet, parcourt la cité, les aires habituelles de jeux, les points de rencontre, la maison de quartier. Il n'interroge personne. Ici, on ne pose pas de questions. Le Brigadier observe les mouvements des groupes, tente de deviner s'ils sont hostiles ou amicaux.

Plusieurs jours passent. Le Brigadier continue sa quête d'informations, sans résultat. Il n'ose pas se présenter chez la mère d'Idriss. Et si l'enfant avait repris le trafic pour épargner au peintre une descente musclée chez lui ?

Le Brigadier ouvre d'un geste décidé la porte du bar, repaire enfumé et bruyant de tous les mauvais garçons de la cité. Ils sont là, ceux qui prédisent sa mort prématurée et pourrissent la vie de son apprenti. Sans hésitation, il s'approche de leur table couverte de canettes de bière vides, de mégots, d'écorces de cacahuètes et de miettes de pizza.

– Salut les rigolos !

– Tiens, v'la le mort en sursis.

– T'as de l'humour mon gros, on n'imaginerait pas un tel don chez un crétin.

– Tu me cherches, vieux débris ?

Le gros s'éjecte de sa chaise et tente de crocheter le blouson du Brigadier qui l'évite et réplique d'une baffe énorme qui stoppe l'élan du voyou.

Silence radio dans la salle. Consternation de ce petit monde malveillant qui sent qu'un changement inattendu et irrémédiable vient de se produire. Un vieux, presque centenaire, qui gifle le méchant du quartier ! On attend la suite du programme et le massacre de la « carte vermeil » qui va, peut-être, prendre un ticket pour une crypte au cimetière…

– T'as dépassé ta limite le vioque ! Je ne vais pas te tabasser ici, y'a trop de monde et les

témoins, j'aime pas. Dégage, vite !

– Les témoins ne me gênent pas, au contraire il en faut pour ce que j'ai à vous dire, bande de minables ! Je sais ce que vous obligez les enfants à faire, je connais tous vos petits trafics, vos planques, vos receleurs. J'en connais ici qui n'hésitent pas à s'attaquer aux petites vieilles à la sortie de la poste pour voler leur pension, sans oublier le racket à la sortie des écoles. Un gamin travaille avec moi, vous le connaissez, il s'appelle Idriss. Si demain il ne vient pas à l'atelier, vous aurez un délai extrêmement court pour vous éloigner le plus loin possible du quartier avant que la police ne s'occupe de vous.

– On est terrorisé ! Tu te prends pour Zorro, pépé ! Dans ce quartier, c'est nous la loi ! T'as vu des flics ? Quand ? Ça fait des siècles qu'ils nous ont oubliés et on ne pense pas que c'est toi qui vas faire changer leurs habitudes. Maintenant, si tu tiens à te faire exploser ce soir, reste cinq minutes de plus, pour voir.

Le Brigadier quitte le repaire des voyous et leurs menaces pour rejoindre son atelier.

Chapitre 5

– Bonjour Brigadier.

– Bonjour Idriss, je suis content que tu sois là ce matin. Tu reviens pour travailler ?

– Je ne peux pas rester ici.

– Pourquoi ?

– Hier soir, tu as menacé les caïds de prévenir la police. Ils n'ont pas apprécié et sont décidés à te faire mal, à tout casser dans ton atelier. Moi, je ne risque rien tant que je travaille pour eux. Je voulais qu'ils te laissent tranquille et pour ça, je devais arrêter de venir ici et reprendre le trafic. Ils ont aussi menacé ma mère qui est terrorisée. Si papa était là, il saurait nous défendre.

– Je peux vous protéger, toi et ta mère, seulement il faut que tu le croies et que tu ne te sauves pas pour m'éviter une rencontre avec les terreurs du quartier. J'ai vécu des moments beaucoup plus difficiles et, si je ne suis plus un jeune homme, j'ai l'avantage de connaître ces situations où il semble que les faibles n'ont aucune chance alors qu'avec un peu de réflexion et de calme, on arrive à surmonter le pire.

Idriss écoute le Brigadier. Il voudrait le croire, de toutes ses forces, être convaincu par le discours du vieil homme, mais non, il doute.

Il connaît les ruses, la brutalité, l'absence de toute humanité des adversaires du peintre. Il imagine le vieux à l'hôpital, l'atelier détruit, les manches brisés des pinceaux, leur soie délicate arrachée, les pots de peinture ouverts, les couleurs répandues partout, les calicots immaculés souillés et le petit logement pillé.

Idriss ne veut pas d'un tel carnage. Il doit, par n'importe quel moyen, convaincre le Brigadier qu'il s'est trompé, que l'enfant à qui il veut transmettre son savoir, l'enfant qui sera un jour le plus grand peintre en lettres et qui dépassera en virtuosité les calligraphes de l'Islam ancien, que cet enfant n'est qu'un simulateur, un menteur, un profiteur, un manipulateur qui ne mérite pas la plus petite attention, la moindre affection, et que le Brigadier doit l'oublier tout de suite.

Et Idriss, sans attendre, prononce des paroles odieuses, se transforme sous le regard incrédule et triste du Brigadier en gamin d'une vulgarité égale à celle de ses employeurs hors la loi.

La porte de l'atelier se referme derrière l'enfant. Il était temps pour lui de partir. Il ne supporte pas l'immense désarroi de celui qui l'a accueilli avec tant de gentillesse et des larmes filent sur ses joues. Idriss court, court pour s'éloigner vite, vite, et disparaît dans l'immense cité.

De retour chez lui, sa mère, un grand sourire sur le visage, lui tend une lettre. Il la saisit, hésitant, ne sachant s'il doit la lire ou laisser sa mère lui en dévoiler le contenu. Mais le texte est en arabe et si Idriss éprouve des difficultés à lire le français, il ne connaît pas la langue écrite de ses parents. Aux paroles de sa mère, Idriss sent une joie immense l'envahir tel un thé bouillant qui le brûle et lui laisse dans la bouche le parfum frais de la menthe.

– Papa !

Il va redevenir un enfant comme les autres, avec un père pour le protéger, lui apprendre ce qu'il doit savoir pour devenir fort. Il saute au cou de sa mère et l'embrasse, il rit et fait le clown.

Un fracas de vitre brisée, de boiserie éclatée et des cris de haine font sursauter le Brigadier qui a du mal à s'endormir après la visite d'Idriss. Il se lève, vite, enfile son pantalon, et se précipite vers l'atelier.

– Alors le vieux, t'es content ? On est efficace, non ? Pousse-toi, on passe maintenant à ton logement miteux !

Le Brigadier ne bouge pas, paralysé par la vision de son univers dévasté, son outil de travail détruit, ravagé en quelques minutes, une vie de labeur et de souvenirs évaporée. Les voyous, pensant que leur victime fait de la résistance, se mettent à le tabasser. Cela stimule le Brigadier qui se sert de ses pieds et de sa tête comme un habitué de la bagarre de rue. Surpris, ses assaillants hésitent quelques secondes. Mais le vieil homme ne se sauve pas et c'est le signal du massacre. Les voyous se bousculent pour lui balancer des coups de pied meurtriers, des coups-de-poings « béliers », le font tomber et l'achèvent en rigolant.

Chapitre 6

À l'hôpital, le Brigadier livre une bataille difficile à gagner. Une chance que ces imbéciles de loubards aient oublié de casser le téléphone. Le Brigadier, dans un bref instant de lucidité, a pu appeler les pompiers qui sont venus très vite.

Idriss occupe son esprit chaque fois qu'il émerge de son état comateux. Il ne peut pas croire qu'il se soit trompé à ce point sur l'enfant.

Absorbé par cette triste réflexion, il sursaute au son d'une voix inconnue qui le salue d'un : « Bonjour Brigadier, comment ça va ? »

Un homme jeune, souriant mais l'air préoccupé, se tient au pied de son lit.

– Capitaine Francisco Ross, de la police nationale.

– Pourquoi êtes-vous ici, Capitaine ?

– Parce que vous y êtes vous-même, Brigadier, et dans un très mauvais état. Les pompiers nous ont prévenus, c'est la procédure dans un cas comme le vôtre. Je suis ici avec la permission du médecin responsable du service. Je ne vais pas rester trop longtemps, seulement pour recueillir une déposition aussi brève que possible de votre agression.

– Ross…, votre âge, vous pourriez être le petit-fils d'un ami que j'ai connu…

– José Ross ?

– Exact…

– C'était mon grand-père et il m'a souvent parlé de vous. Il était là-bas, lui aussi, pendant la guerre civile…

– Tu as dit *était*…

– Oui, il est mort l'année dernière.

– Désolé mon garçon. Accepte les plus sincères condoléances d'un ancien des brigades.

– Et vous, vous êtes si impatient d'en finir avec la vie ? Qui sont ceux qui vous ont arrangé comme ça ? Je m'en doute un peu, mais une confirmation de votre part simplifierait mon enquête. Pouvez-vous me donner des noms ? Ou bien identifier vos agresseurs d'après des photos

de l'Identité judiciaire et surtout m'éclairer sur les motifs de cette agression ?

— Vous m'en demandez beaucoup, Capitaine, et j'accepte de vous répondre, mais pas maintenant, je suis épuisé. Désolé.

— Bien sûr Brigadier, je repasserai. En attendant, pas de bêtises, reposez-vous.

Chapitre 7

– Ce flic, c'est le capitaine Ross. Il nous court après et j'aime pas l'idée que le vieux lui lâche nos noms. Il faut s'assurer qu'il parlera pas.

Les deux voyous qui guettaient à proximité de l'hôpital se dirigent vers l'entrée d'un pas décidé.

– Le Brigadier, c'est quelle chambre ?

– Vous êtes de la famille ?

– Oui m'dame, on est ses petits-enfants.

– Chambre 28, premier étage à gauche en sortant de l'ascenseur.

– Merci m'dame !

– Tiens, c'est là ! Regarde, il dort, ça va simplifier les choses. Prends le coussin sur le siège et pose-le sur sa figure. Sans hésiter, le comparse se saisit du coussin et s'apprête à le plaquer sur le visage du Brigadier quand surgit dans la chambre un Idriss déchaîné et hurlant à l'assassin ! Surpris par la violence du gamin, les deux criminels, paniqués, se sauvent en percutant Idriss qui tombe brutalement sur le linoléum de la chambre. Le vacarme a alerté le personnel soignant qui arrive aussitôt. Idriss explique qu'il venait rendre une visite au Brigadier et qu'il a surpris deux voyous qui tentaient d'étouffer le vieil homme.

– Brigadier ! Brigadier ! Réveillez-vous !

– Idriss ? Pourquoi me cries-tu dans les oreilles ? C'est interdit de dormir ? Je suis si fatigué.

– Non Brigadier, mais on vient d'essayer de vous étouffer avec un coussin !

– … Probablement… Les mêmes que ceux qui m'ont tabassé… Ils doivent avoir peur que je les dénonce et, crois-moi, ils ont raison, c'est ce que je vais faire…

Un coup frappé à la porte de la chambre et le capitaine Ross s'annonce par un :

– Bonjour tout le monde ! Je suis de retour plus vite que prévu... L'hôpital m'a averti de l'agression dont vous venez d'être victime, Brigadier. Prêt pour l'identification des assaillants ? J'ai apporté quelques photos parmi lesquelles vous pourriez reconnaître ces minables.

Prenez le temps, nous devons être sûrs à cent pour cent ; la moindre incertitude et ils courront encore longtemps.

Concentré, le Brigadier ressent un profond malaise en examinant ces visages. Mais s'il ne faisait pas l'effort de les reconnaître, il serait complice de leurs actions, complice de l'abandon d'Idriss qui continuerait à dealer pour eux, complice de tous les rackets qui défigurent le quartier.

– C'est lui, lui, lui, lui, lui, lui et lui.

Le capitaine Ross ressent le profond désarroi du Brigadier.

– Bien Brigadier, maintenant il va falloir les trouver, et ce n'est pas du tout gagné.

– Je peux t'aider Capitaine, si tu veux.

– Non Idriss, reste à l'écart de ça !

– Mais pourquoi, Brigadier ? Je connais plein de trucs sur eux, tu sais bien.

– Idriss ? Idriss ? Je connais ce nom, tu ne travailles pas pour cette bande, petit ?

– Non Capitaine, c'est mon apprenti.

– Votre apprenti ? Il est trop jeune, il n'a pas seize ans.

— Je pourrai vous expliquer tout cela quand je sortirai d'ici, Capitaine, mais maintenant, assurez-moi que vous ne questionnerez pas Idriss à propos de ces voyous ?

— Je veux bien laisser cette partie de l'histoire de côté jusqu'à votre sortie. Salut Brigadier, salut Idriss, à bientôt !

L'enfant regarde le Brigadier et fait un énorme effort pour dissimuler ses larmes. Le vieil homme a la tête bandée, une minerve, un plâtre au bras gauche, la cage thoracique enfermée dans un corset et les mains cachées par d'énormes pansements. Les yeux sont cernés d'une ombre violette, les pommettes gonflées et quelques dents brisées.

Il veut dire tant de choses au blessé : que son père va revenir, que lui, Idriss, a hâte de reprendre son apprentissage, qu'il a une énorme envie de tracer des lettres, plein de lettres, de couvrir la cité de signes, de revivre les heures studieuses de l'atelier. Et il parle, parle, sans s'apercevoir que le Brigadier s'est endormi, un sourire sur ses lèvres abîmées.

Chapitre 8

– **Je** lui redirai, se répète Idriss en marchant vers la cité. Il saura que j'aime ce travail, que jamais je ne le décevrai et qu'un jour il sera fier de moi.

Devant l'atelier dévasté, Idriss s'arrête, les joues mouillées de larmes. Il se jure de tout faire pour que le Brigadier, en rentrant de l'hôpital, retrouve le local dans l'état où il était avant le saccage. Il va en parler aux gens du quartier, aux jeunes, aux adultes. Il connaît leur générosité. Il sait que beaucoup sont prêts à donner du temps et un peu d'argent pour aider la victime. Idriss se dit que c'est une occasion pour la communauté de se serrer les coudes, de retrouver une solidarité oubliée et de faire face à ceux qui font ressembler le quartier à une zone sinistrée.

– Salut Idriss, c'est pas beau à regarder.

– Oui Capitaine, et je cherche des moyens

pour tout remettre en état.

– Pourquoi veux-tu faire ça ? Le Brigadier m'a dit, à l'hôpital, que tu es son apprenti, c'est vrai ?

– Si tu le connaissais bien, tu ne poserais pas cette question. Le Brigadier n'aime pas les mensonges. Il m'apprend, en dehors de l'école, le métier de peintre en lettres. J'aime ce travail et j'espère que le Brigadier sera fier de moi, que je serai un jour le meilleur !

– Bien mon gars, bien, mais tu travailles aussi pour ceux qui ont tabassé le Brigadier, des bruits courent… Tu n'es pas le seul, tous les gamins de la cité, ou presque, sont contraints de faire leur sale boulot. Des bruits aussi disent que tu avais arrêté… et repris… Pourquoi ? Tu peux me répondre, nous ne sommes pas au commissariat, nous parlons, rien de plus.

Idriss, gamin de la cité, est naturellement méfiant à l'égard des policiers, surtout quand ils sont sympas.

– Pourquoi je croirais que ce n'est qu'une conversation, comme ça ?

– Je ne te force pas à me parler, tu as le choix,

mais si tu aimes vraiment le Brigadier, si tu veux continuer à travailler avec lui, ce serait bien que je sache qui tu es vraiment, un jeune voyou ou un gamin qui s'est fait piéger par les gros bras de la cité ?

– Je ne suis pas un voyou !

Idriss sent une violente colère le submerger. Qu'est-ce qu'il y connaît, ce policier, à la vie dans la cité et à des gamins comme lui ?

– J'ai accepté de travailler pour eux parce que mon père n'est pas là et que ma mère n'avait pas d'argent. Quand notre situation s'est arrangée, j'ai laissé tomber le trafic et c'est à ce moment-là que j'ai commencé à apprendre avec le Brigadier. Mes « employeurs » ont cru que c'était à cause de lui que je ne voulais plus trafiquer pour eux. Ils voulaient venir à l'atelier et donner une leçon au vieil homme. Quand je l'ai su, je leur ai dit que je reprenais le deal mais ça n'a pas suffi, il fallait que je cesse d'aller à l'atelier, sinon… Ne me voyant plus, le Brigadier m'a cherché dans toute la cité jusque dans ce bar où il a menacé les voyous de dénoncer leurs trafics s'ils ne me rendaient pas ma liberté.

J'ai demandé au Brigadier de m'oublier et pire, pour le convaincre que je ne valais pas la peine qu'il s'occupe de moi, j'ai été grossier, lui faisant croire que son métier ne m'intéressait pas, que je me fichais bien de tracer un trait droit, une courbe avec un plein et un délié, toutes les horreurs qui me passaient par la tête... J'ai cru que c'était le seul moyen pour qu'il cesse de s'intéresser à moi et que les voyous l'oublient.

– Ça n'a pas marché.

– Non Capitaine... Tout ce mal que je lui ai fait, pour rien ! Alors, je voudrais tellement qu'à sa sortie de l'hôpital il retrouve tout en ordre, comme avant.

– Le Brigadier n'est pas près de revenir dans son atelier, Idriss. J'ai discuté avec l'équipe soignante... À cause de la violence des coups qu'il a reçus à son âge, son organisme affaibli aura du mal à guérir.

– Tu... Tu veux dire qu'il va mourir ? Mais le Brigadier est immortel ! Il a fait la guerre et il est revenu ! Ce n'est pas pire que la guerre cette bagarre ! Ce n'est rien du tout pour lui !

– S'il avait l'âge du jeune brigadiste qu'il était pendant la guerre d'Espagne, il s'en sortirait sans problème, mais il est vieux, Idriss, très vieux, d'un âge que beaucoup de gens de sa génération n'ont pas atteint. Contre ça, on ne peut rien faire, rien.

Chapitre 9

– Idriss ! Chaque fois que je me réveille, tu es là ! Tu es allé à l'atelier ? Les dégâts sont importants ? Bah ! On arrivera à se débrouiller avec ce qui reste ! « L'essentiel est invisible pour les yeux, on ne voit bien qu'avec le cœur », disait Saint-Exupéry. Tu as lu *Le Petit Prince* ? Un tout petit livre qu'il a illustré de dessins merveilleux et qui raconte l'histoire d'un Prince vivant sur une minuscule planète et amoureux d'une rose…

– Non, Brigadier…

– Tu le trouveras chez moi, la couverture est blanche avec un dessin représentant une minuscule planète, le Petit Prince et la rose. Prends-le, je te le donne et essaye de le lire avant mon retour, tu verras, c'est facile.

– Merci Brigadier ! Je passerai chez vous en rentrant de l'hôpital et demain je pourrai vous raconter l'histoire du Petit Prince !

– J'aimerais beaucoup, il y a tellement long-temps que je ne l'ai pas lu… Et vous, Capitaine, c'est le travail ou la charité qui vous conduit ici ?

– Ni l'un, ni l'autre, disons… L'amitié et l'inté-rêt que je porte à un ancien compagnon de mon grand-père, et aussi pour vous informer du déroulement de l'enquête concernant votre agression.

– Vous avez retrouvé les responsables de mon séjour ici, Francisco ?

– C'est gentil de m'appeler par mon prénom, je n'ai pas l'habitude. Dans la police, on nous donne plutôt des noms d'oiseaux, de ruminants, des trucs pas sympas. Non, ils ont disparu. Per-sonne ne parle. La peur… Sans indicateurs on est impuissant. Seul le temps peut nous aider... On va continuer la pression sur tous les petits délin-quants en espérant que l'un d'eux craque. Je n'ai rien demandé à Idriss à propos des informations qu'il pourrait détenir sur eux et je n'ai pas l'inten-tion de le faire. Je ne veux pas le compromettre davantage dans cette sale affaire. D'accord, Idriss ? Son père va revenir d'un séjour difficile,

là-bas, au pays, et ce n'est pas indispensable d'en rajouter. J'ai confiance en lui et il est important de préserver son avenir.

– Avec moi, il n'y aura aucun problème, Francisco, nous continuerons l'apprentissage si son père le veut bien, et d'ici quelques années vous verrez le prodige. Cet enfant a le don. Je ne croyais pas à ce truc avant de le rencontrer. Aujourd'hui, j'y crois, et ce n'est pas une petite bande de voyous qui va nous arrêter !

– D'accord Brigadier, on va vous laisser vous reposer. On reviendra demain en espérant que vous serez en forme.

– Au revoir Brigadier, je passe à l'atelier pour le bouquin sur le Petit Prince ; à demain, dors bien.

– Salut les enfants ! Merci de votre visite ! Je vais dormir comme un bébé et rêver de ma prochaine sortie.

Chapitre 10

Des ombres s'agitent dans l'atelier. Le capitaine sort son arme de service en faisant signe à Idriss de rester en arrière.

– Police ! Levez les mains ! Pas un geste !

Les ombres se figent, les bras se lèvent, le capitaine s'avance à grandes enjambées.

– Un dicton dit que l'assassin revient toujours sur les lieux de son crime et ce sont tous les agresseurs du Brigadier qui sont là ! Je ne pensais pas vous arrêter aussi vite les gars, vous êtes sympas de m'éviter une surcharge de travail.

– Allez les mecs, on se sauve ! Il n'osera pas nous tirer dessus !

Trois voyous s'enfuient en rigolant. Les autres restent les bras levés, sans bouger.

– Allo ! Allo ! Le commissariat, ici le capitaine Ross, vous pouvez envoyer un fourgon à l'adresse du Brigadier ! Oui, celui qui s'est fait agresser il y a quelques jours. Faites vite !

    – En attendant, va chercher le livre, Idriss !

    – Je l'ai, le voilà !

On entend la sirène du fourgon de police et aussitôt le bruit des pneus qui s'arrachent sur le bitume quand les freins bloquent son élan. Une odeur de caoutchouc brûlé, des portières qui claquent, les voix excitées des policiers…

Ce soir-là, Idriss ne regarde pas la télévision. Le souper avalé, la table débarrassée, les dents brossées, il se couche et commence la lecture du *Petit Prince*. L'exercice, difficile, lui demande un effort d'attention soutenu qui le fatigue vite. Curieusement, l'histoire de l'enfant blond, égaré loin de sa planète, dans un désert terrestre, en compagnie d'un aviateur qui dessine des moutons, le captive et il oublie les difficultés de la lecture. Quand le sommeil lui ferme les yeux, il s'endort heureux : le Petit Prince est retourné sur sa planète où la rose qu'il aime l'attend, c'est sûr.

Chapitre 11

– Bonjour Brigadier ! Ça va ?

Pas de réponse. L'enfant s'approche du vieil homme qui respire mal. La couleur de sa peau, les cernes sous les yeux, l'immobilité absolue du corps font peur à Idriss. Il appelle une infirmière.

– Le Brigadier ne va pas bien, madame !

– Reste calme mon garçon, il lui faut du temps pour se remettre de ses blessures. Il va se réveiller. Parle-lui mais, si tu le peux, cache ton chagrin. Il a besoin de voir des gens gais, qui lui donnent envie de vivre, c'est important pour sa guérison...

L'infirmière partie, le Brigadier ouvre les yeux. Il voit l'enfant à son chevet, mais ne semble pas le reconnaître.

– Brigadier, c'est moi, Idriss.

– Idriss ?

– Ton apprenti.

– Oui, mon apprenti… bien sûr… Je suis content que tu sois là, l'hôpital ce n'est pas un endroit joyeux. Je dors pour ne pas voir ce qui m'entoure et oublier ces odeurs pas très plaisantes pour mon nez habitué aux parfums de la térébenthine et de l'huile de lin. Tu as trouvé le livre de Saint-Exupéry ? Tu as commencé à le lire ?

– Oui, et j'ai tout lu cette nuit, mon premier livre. Je n'en lirai jamais d'autre.

– Tu es si jeune, Idriss. Ton enthousiasme me fait du bien et si vraiment tu ne dois jamais lire un autre bouquin, je crois que celui-ci peut occuper toute une vie. En as-tu retenu un passage particulier dont tu voudrais me parler ?

– Oui Brigadier, il y a cette phrase du renard à propos de la rose du Petit Prince : « Tu deviens responsable pour toujours de ce que tu as apprivoisé. » Je pense que, comme lui, tu es responsable de moi, que tu dois guérir vite, pour que je reprenne mon apprentissage et que je devienne un vrai peintre en lettres, comme toi.

– Eh bien Idriss, tu vas droit au but ! Tu as raison,

je dois me battre pour guérir car j'ai une vraie raison de vivre. Je savais que la lecture du *Petit Prince* pouvait t'apporter beaucoup, mais je n'ai pas un seul instant pensé que ça m'aiderait aussi. En repartant, tout à l'heure, peux-tu passer à l'atelier et récupérer tout ce qu'il sera possible de réutiliser : pinceaux, pots de peinture, solvants, toiles de calicots, panneaux de contreplaqué… ? Il ne faudra pas perdre de temps à mon retour. Nous recommencerons ta formation immédiatement.

– D'accord, Brigadier.

– Tu veux bien me laisser maintenant. Je dois me refaire une santé et le sommeil fait partie du traitement.

L'enfant rit. Si le Brigadier plaisante, c'est bon signe, et il s'en va avec le sentiment que les gros ennuis sont maintenant derrière eux.

Chapitre 12

À l'atelier, le capitaine Ross pose des panneaux de bois sur la vitrine brisée.

– Bonjour Capitaine, je ne savais pas qu'on faisait ce travail dans la police.

– Salut Idriss! Ce n'est pas le flic qui colmate cette ouverture, mais le petit-fils dont le grand-père était l'ami du Brigadier. S'il avait été vivant, mon aïeul m'aurait demandé ce service. Il m'a élevé et appris la fidélité. C'est peut-être un peu compliqué pour toi ce blabla, mais je n'ai pas l'habitude de bavarder avec les enfants...

– Oh! J'ai lu *Le Petit prince* cette nuit et je peux comprendre beaucoup plus d'expressions. Je n'aime pas qu'on me parle « bébé ». Si je ne sais pas, je demande qu'on m'explique et si on ne veut pas, je cherche tout seul. Des fois je trouve l'explication, des fois je ne trouve rien, mais chercher ça m'intéresse.

– Tu reviens de l'hôpital ? Comment va le Brigadier ?

– Super, Capitaine ! On a discuté un moment et il est décidé à tout faire pour guérir. Il veut finir ma formation de peintre en lettres. Je suis si heureux !

– Bonne nouvelle ! Tu lui as parlé des événements d'hier soir ?

– Non, je n'ai pas voulu l'inquiéter. Qu'il guérisse d'abord ! Il m'a demandé de venir ici pour récupérer tout ce qui pouvait encore s'utiliser, pour travailler à son retour.

– Je vais t'aider Idriss, j'ai un peu de temps libre. À deux, ce sera plus facile et il y a sûrement des travaux que l'on peut faire ensemble.

Quand ils se quittent, quelques heures plus tard, l'atelier a retrouvé une partie de son aspect antérieur. Des pinceaux, des couleurs, des solvants, du calicot, un chevalet réparable et diverses bricoles utiles au travail sont maintenant soigneusement rangés à leurs places habituelles ; le sol et les plus grosses taches sur les

murs sont lavés. L'éclairage fonctionne et la porte d'entrée ferme à clef. Avec les panneaux de bois qui colmatent la brèche de la vitrine, le lieu ne craint plus la visite des casseurs.

Le capitaine a été formidable et, sans son aide, Idriss aurait été incapable de nettoyer le local. Il racontera ça au Brigadier, demain, à l'hôpital. Cela fera un énorme plaisir au vieil homme et ce sera bon pour hâter sa guérison.

Le soir encore, Idriss s'absorbe dans la lecture du *Petit Prince*. Il prend plus de temps pour comprendre le sens des phrases, répéter les mots qui lui plaisent, imaginer le désert, le dialogue du pilote et de l'enfant venu d'une autre planète. Il s'endort, enfoui dans un rêve de lettres et de mots peints.

Chapitre 13

Une voix d'homme et le rire de sa mère accueillent un Idriss ensommeillé qui vient prendre son petit-déjeuner. La vue du joyeux duo laisse l'enfant interdit. Sa mère rit avec un homme étranger à la famille. Avant qu'il ne pose une question, l'inconnu le prend dans ses bras et l'embrasse. De plus en plus étrange, pense Idriss qui s'entend appeler « Mon fils ! ».

– Papa ?

– Tu ne me reconnais pas, mon garçon ? J'ai donc tellement changé ? Cela ne fait qu'un an que je suis absent.

Idriss observe l'inconnu sans comprendre. Mon père est jeune, ce n'est pas ce vieillard qui semble aussi âgé que le Brigadier, mais il n'ose pas le dire, il a peur de faire de la peine. Et pourtant, à regarder l'attitude de sa mère, il ne peut douter plus longtemps de l'identité de celui qui le tient toujours par les épaules.

– Papa, pardon, je dors encore, je ne sais pas très bien où j'en suis. Je pensais que tu devais revenir bientôt et tu es là, j'ai du mal à réaliser...

Le père observe le jeune garçon et pense au retour joyeux qu'il avait imaginé, son fils courant pour l'accueillir avec des cris de bonheur...

Il sait qu'il a beaucoup vieilli. Les mauvais traitements subis là-bas, au pays, l'ont épuisé.

– Assieds-toi Farid, toi aussi Idriss, et je vous sers un bon petit-déjeuner : café au lait, tartines beurrées, miel...

Le père et le fils n'attendent pas pour s'attabler et pendant un bon moment toute leur attention est accaparée par ce repas matinal.

La table juste desservie, quelqu'un frappe à la porte de l'appartement.

– Bonjour, Capitaine Francisco. Idriss est là ?

Farid sursaute sur sa chaise.

– Un capitaine, Idriss, pourquoi ?

L'enfant rassure son père :

– C'est un ami, ne t'inquiète pas, papa.

– Bonjour tout le monde !

– Capitaine je te présente mon père, Farid.

Papa, le capitaine Francisco de la police nationale.

– La police ? Pourquoi la police ? Je viens d'arriver du pays, j'ai des papiers en règle. Tenez, regardez !

– Calmez-vous Farid, je viens chercher votre fils pour rendre visite à un ami qui est hospitalisé, rien à voir avec votre retour, et je suis très heureux qu'Idriss ait enfin retrouvé son père.

– Ce monsieur à l'hôpital, un ami à toi aussi, Idriss ?

– Oui papa, un monsieur très âgé que j'aime beaucoup.

– Et pourquoi est-il ton ami ?

– C'est une histoire que je ne peux pas raconter comme ça, mais si tu veux, accompagne-nous et je t'expliquerai tout.

– Je suis fatigué mais d'accord, je viens !

Et pendant le trajet, Idriss raconte à son père l'histoire du Brigadier, son début d'apprentissage, l'agression, le saccage de l'atelier, la rencontre du capitaine Francisco et son enquête, l'arrestation d'une partie de la bande, la remise en état de l'atelier pour le retour du Brigadier. Farid est stupéfait par la maturité de son fils. Onze ans et déjà engagé dans une telle aventure !

Chapitre 14

– **Je** vous attends depuis un bon moment, les enfants ! Je suis en pleine forme et impatient de parler avec vous de nos projets.

– Brigadier, je te présente mon père, Farid.

– Ton père ? Bonjour Monsieur. Vous avez un fils formidable !

– Brigadier…

– S'il te plaît Idriss, je parle à ton père et ce que je dis est sérieux. Il doit savoir ce que je pense de toi, c'est important pour un père et plus encore pour le tien qui a été absent long-temps. Farid, soyez le bienvenu parmi nous. Je ne possède plus grand-chose depuis le pillage de mon atelier.

Le capitaine et Idriss se sentent exclus de cet échange. Ils ne peuvent comprendre le lien invisible et fort qui se tisse spontanément entre ces deux hommes qui ont vécu des épreuves semblables.

– Quand sortez-vous, Brigadier ?

– Une semaine au maximum ! Le corps médical déclare forfait ! Il classe mon cas parmi les énigmes de la médecine.

Et la visite se poursuit, animée, puis paisible, jusqu'à l'heure du départ, plus joyeux que les précédents.

– On passe à l'atelier, pour le montrer à papa ?

– On y va !

Francisco se dit qu'il a retrouvé une famille perdue à la disparition de son grand-père.

– Il reste encore du travail à faire pour rendre cet atelier propre. Je m'en occuperai, j'ai un peu de temps avant de retrouver un emploi.

– On s'en va, papa ?

Et le trio se sépare après quelques pas, Francisco part vers son studio, le père et le fils en direction de la cité.

Le Brigadier est enfin sorti de l'hôpital.

– Mon atelier ! Je suis si heureux de le revoir ! C'est aussi propre que la chambre que je viens de quitter et on pourrait opérer ici sans craindre une infection.

La réflexion émeut Farid qui a consacré toute la semaine à gratter, lessiver, repeindre, frotter le sol à l'eau de Javel, au décapant..., rafistoler les meubles cassés, mettre des aliments dans le réfrigérateur, aidé par Francisco.

– Prêt, Idriss ? On commence demain matin à huit heures. C'est tôt pour toi, mais il faut que tu t'habitues aux horaires d'atelier. Les vacances finissent et il faut profiter de tout le temps libre qui nous reste pour progresser dans ton apprentissage.

À l'heure convenue, le lendemain, l'enfant frappe à la porte de l'atelier où le Brigadier l'accueille avec un grand sourire. Il a revêtu une blouse blanche immaculée et en tend une à Idriss. Le gamin l'endosse fièrement. Il a toujours vu le vieil homme porter des tabliers tachés de peinture et il comprend que son maître d'apprentissage veut, en portant ce vêtement propre, marquer la solennité de ce jour.

Épilogue

À seize ans, Idriss est devenu apprenti à temps complet chez le Brigadier. Il connaissait si bien le métier de peintre en lettres qu'il est passé presque tout de suite compagnon puis associé du Brigadier. Farid, le père d'Idriss, travaille aussi à l'atelier. Il prépare les supports sur lesquels les lettres doivent être peintes, installe ceux-ci aux emplacements souhaités par les clients et s'occupe de tous les bricolages de l'entreprise. Une petite sœur est née, Fadoua, si fragile qu'en la regardant Idriss pense à la rose du Petit Prince.

Francisco court toujours après les voleurs et attend que le bébé soit une grande jeune fille pour la demander en mariage. Cette idée fait rire tout le monde, sauf le Brigadier qui la prend très au sérieux mais, comme il s'approche tout doucement de ses quatre-vingt-dix ans, on évite de s'en amuser devant lui.

N° éditeur : 2017/1651

Dépôt légal : janvier 2005

Achevé d'imprimer en Espagne, en septembre 2017 par Blackprint CPI